L'ascenseur
d'Adrien

L'ascenseur d'Adrien

CÉCILE GAGNON

Illustrations
PHILIPPE GERMAIN

Données de catalogage avant publication (Canada)

Gagnon, Cécile, 1938-

L'ascenseur d'Adrien

(Collection Libellule)
Pour les jeunes.

ISBN: 2-7625-4045-3

I. Titre. II. Collection.

PS8513.A345A82 1993   jC843'.54 C93-097353-4
PS9513.A345A82 1993
PZ23.G33As 1993

Conception graphique de la couverture: Bouvry Designers Inc.
Illustrations couverture et intérieures: Philippe Germain

Édition originale: © Les éditions Héritage inc. 1986
Réédition: © Les éditions Héritage inc. 1993
Tous droits réservés

Dépôts légaux: 4e trimestre 1993
Bibliothèque nationale du Québec
Bibliothèque nationale du Canada

ISBN: 2-7625-4045-3   Imprimé au Canada

LES ÉDITIONS HÉRITAGE INC.
300, Arran, Saint-Lambert (Québec) J4R 1K5
(514) 875-0327

*pour André,
Paule et
Philippe*

Quand Mélanie passe
la journée à l'hôtel

La ville où j'habite est construite sur
une falaise. En haut, se dressent les tours
de verre et les gratte-ciel modernes. En
bas, il y a quelques bicoques, une plage et
des vagues qui se jettent dessus en faisant
un bruit de papier froissé. Pour rejoindre
la plage, on doit suivre un chemin étroit et
casse-cou qui contourne les rochers.

Les immeubles de la ville haute sont
tous pareils. Lisses et dépouillés sans le
moindre relief. On dit qu'ils sont «modernes». Pourtant, si on regarde bien, on
découvre une vieille façade, serrée entre la
Banque des Navigateurs et le Palais des
Expositions. C'est l'hôtel de l'Étoile. On
dirait qu'il se cache, qu'il se recroqueville.

Il a l'air très différent des autres. Il regorge de décorations sculptées, de colonnettes, de médaillons, de coquilles, de guirlandes, de renflures et de tortillons. Moi, il me plaît bien. C'est là que travaille mon père. Chaque fois qu'à l'école il y a des congés pédagogiques, il m'emmène avec lui à l'hôtel de l'Étoile. J'y vais souvent. Avant de partir, papa dit toujours :

— Mélanie, je t'en prie, essaie de ne pas faire de bêtises aujourd'hui.

Quand je passe la journée à l'hôtel, c'est parce que nous avons des difficultés temporaires de planification familiale, comme dit maman. À vrai dire, la gardienne est partie sans avertir et on ne l'a pas encore remplacée. Et comme maman suit des cours en administration des affaires, à l'université...

Moi, ce que j'aime le mieux, à l'hôtel, c'est l'ascenseur. Il a des portes superbes : lourdes et brillantes. Adrien les astique sans relâche. Adrien, c'est mon ami. Il a les cheveux blancs et des gants de la même couleur. C'est lui qui conduit l'ascenseur.

Papa dit qu'il est vieux comme l'hôtel. Il doit avoir au moins cent ans. Je le

trouve drôlement en forme pour son âge.
En tout cas, avec lui, j'invente des jeux
formidables pour passer le temps. Par
exemple, ce matin, on a fait la course. Et
j'ai gagné. On est parti en même temps,
lui dans l'ascenseur avec un client qu'il
menait au cinquième et moi, à pied.
Avant la fermeture complète des portes, il
m'a crié :

— Go !

Je suis montée en courant par l'escalier
et j'y étais, bien avant lui, au cinquième
étage ! Tel que promis, Adrien m'a donné
un gros bonbon à la menthe. Il en a toujours un sac dans ses poches.

Quand Mélanie rencontre
Raoul et Antoinette

Évidemment, il a fallu que je retourne à l'école. Je ne suis pas revenue à l'hôtel avant dimanche après-midi. C'était bien, il y avait plein de monde. Un congrès de fabricants de papier de toilette. Je me suis promenée à travers les groupes de gens et j'ai remarqué qu'ils portaient tous un joli macaron bleu et blanc. Ça m'intéressait à cause de ma collection. J'ai été voir Adrien dans son ascenseur. Ça n'a pas traîné. Adrien m'a fait un gros clin d'œil et un monsieur s'est mis à fouiller dans sa serviette. Il m'a remis deux magnifiques macarons, plus gros que les autres, sur lesquels était écrit:

DOUFOND «Le papier de toilette qui

vous aime » et un rouleau de papier rose à petites fleurs. Gratuit !

Alors, pour le remercier, je suis allée sur la mezzanine et j'ai réussi, à force d'acrobaties, à décorer toutes les douze branches du grand lustre avec le papier rose à petites fleurs. Comme j'ai terminé juste à l'heure où les congressistes se rassemblaient dans le hall avant leur banquet, j'étais sûre que ça leur ferait plaisir. C'était gentil, non ?

Mais, papa n'a pas aimé. Il est sorti en courant du bureau derrière le comptoir, tout rouge. Il m'a attrapée par le bras pour me conduire vers Adrien.

— Je vous en prie, Adrien, occupez-vous de cette gamine. Gardez-la avec vous le reste de la journée. Empêchez-la...

Moi, je ne demandais pas mieux que de rester avec Adrien dans le bel ascenseur. Monte, descend. Monte, descend. Il n'y a que six étages à l'Étoile, mais à chacun des étages il y a quelque chose à voir. Adrien m'a fait connaître tout le personnel.

J'ai fait la connaissance de Raoul, le chef cuisinier. Il a de grosses moustaches et trois marmitons sous ses ordres qui pèlent les légumes, nettoient les chaudrons et brassent des sauces. Quand il parle de terrine de lièvre ou de soufflé au saumon, les yeux de Raoul lancent des éclairs.

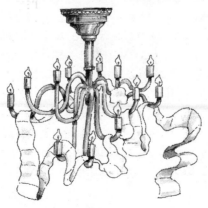

À la buanderie, Antoinette vit entourée de piles de draps, de nappes et de serviettes blanches. Ça sent l'eau de Javel et on se croirait au Pôle Nord tellement c'est blanc. C'est sans doute pour faire un contraste avec toute cette blancheur qu'Antoinette s'est fait teindre les cheveux en rouge. Elle a une chevelure superbe, Antoinette, et je vous assure qu'on ne peut pas la manquer dans son décor ultra-blanc!

Puis, j'ai rencontré Alexandre, le maître d'hôtel du restaurant. Il a un drôle d'accent. Aussi, Roger, le barman, qui sait les meilleures blagues cochonnes en ville.

(C'est lui qui le dit.) Avec Adrien, j'ai aussi salué la téléphoniste, la vendeuse de journaux et toute une armée de femmes de chambre, de garçons de table et de serveuses. Je me suis rendu compte qu'Adrien connaît tout le monde à l'hôtel. En fait, pour lui, le personnel de l'hôtel et les clients constituent sa famille: comme l'écrivain Jasmin Poirot, la vedette Diva Desrosiers et le ministre Roquelune qui le prévient toujours avant les autres des dates prévues pour les élections.

Où l'on joue aux dames

L'ascenseur, c'est le territoire d'Adrien. Tout le monde en est conscient, membres du personnel et habitués. Ainsi, quand Adrien est absent pour une raison quelconque, ce qui est très rare, personne n'ose le remplacer dans l'ascenseur. Les clients montent les étages à pied et on attend qu'il revienne.

Le meilleur ami d'Adrien, c'est Gilbert, le portier. Il est vêtu d'une livrée pas possible, avec des épaulettes et des galons dorés. Il ouvre les portes des voitures qui arrivent, les referme. Il ouvre la porte de l'hôtel, la referme. C'est plutôt idiot mais il paraît que c'est une forme de courtoisie ou de prévenance, je ne me souviens plus

très bien. Papa m'a expliqué tout ça une fois, en me parlant de la qualité des services et d'un tas d'autres choses. Enfin, Gilbert, quand il en a assez d'ouvrir et de fermer des portes, il s'engouffre dans l'ascenseur d'Adrien. À ce moment-là, c'est moi qui suis chargée de dire aux clients qui se présentent qu'«il y a une courte interruption de service à cause d'un incident technique».

J'ai pratiqué pour dire ça comme il faut! De temps en temps j'ajoute:

— L'ascenseur sera remis en marche dans quinze minutes. Nous vous demandons un peu de patience.

En général, les gens me font un grand sourire et s'en vont par l'escalier sans rouspéter. Mais moi, je sais bien qu'Adrien a arrêté l'ascenseur entre le quatrième et le cinquième étage et qu'il fait tranquillement sa partie de dames hebdomadaire avec Gilbert. Tout est prévu pour ça: une petite table pliée dans le mur de l'ascenseur, un tiroir secret qui contient les pions. Adrien a promis de me montrer à jouer.

Quand il n'y a vraiment personne et que l'hôtel tourne au ralenti, je me cale

dans l'un des énormes fauteuils du hall et je lis une bande dessinée. De temps en temps, je me regarde dans les grands miroirs et je fais le tour des bouquets pour voir s'il y a des fleurs de fanées. Papa me jette des coups d'œil pour vérifier si je me conduis bien. Ces temps-ci, il a l'air bien tourmenté, papa. Je ne sais pas ce qui lui arrive. Dans ses conversations avec maman, il utilise des mots bizarres : automatique, informatique, rentabilité, modernisation.

Quand Adrien prend congé

Cette semaine, à l'école, ça n'a pas été trop mal. On a un travail à faire, un projet sur le recyclage ou la récupération. C'est une grosse affaire. On a beaucoup discuté pour trouver des sujets. Moi, j'ai décidé de m'associer à Ange-Aimé, parce que c'est un superdébrouillard. En plus, il m'a expliqué qu'il va se renseigner dans sa famille parce que, chez lui, dans son pays d'origine, en Haïti, tout sert à quelque chose.

Pour le moment, on cherche ce qu'on va faire. La plupart des élèves pensent à ramasser des vieux journaux ou des bouteilles vides. Mais ce n'est pas très original, tout le monde fait ça. Ange-Aimé et

moi, on cherche quelque chose de mieux.
Mercredi et jeudi, après l'école, on est allé
fouiller dans les bouquins de la bibliothèque. En sortant, on tombe sur Adrien.

— Tiens! Adrien. Tu ne travailles pas
aujourd'hui?

— Non, Mélanie, c'est mon jour de
congé.

Moi, les jours de congé, je les attends

avec impatience, mais Adrien n'avait pas l'air content, content. Je me suis dépêchée de lui présenter Ange-Aimé. Et puis, j'ai demandé :

— Qu'est-ce que tu fais pendant ta journée de congé, Adrien ?

— Rien, je m'ennuie.

On a fait un petit bout de chemin avec Adrien vers le parc. Il s'est mis à nous parler :

— Ça fait tellement longtemps que je monte et que je descends dans mon ascenseur. Le jour où je dois rester fixe, les pieds au sol, je ne me sens vraiment pas bien. Et surtout quand je me retrouve devant un escalier, alors là je me sens comme un papillon sans ailes !

Ensemble, on s'est écrié :

— Viens avec nous au parc, Adrien, tu vas voir, on va t'arranger ça.

On a installé Adrien sur la balançoire. On l'a poussé fort, fort. En quelques minutes, il grimpait au ciel. Monte, descend, monte, descend. Adrien souriait. Je pense que ç'a été son plus beau jour de congé depuis bien longtemps.

Quand la porte
tourne, tourne, tourne

Quelques jours plus tard, les vacances de Pâques ont commencé. Comme on n'a toujours pas de gardienne et que ma mère prépare ses examens, je suis venue à l'Étoile avec papa. Tout de suite en arrivant, j'ai senti qu'il y avait quelque chose de changé.

À la porte de l'hôtel, j'ai compris. On ne voyait plus Gilbert, avec son si beau costume. Et pour cause! À la place de la porte habituelle, il y avait une porte tournante toute en verre et en acier qui tournait toute seule. Moi, j'aime beaucoup ces portes-là. Dans les immeubles modernes, il y en a toujours. Ah! j'étais contente que l'Étoile en ait enfin une. J'ai vite

pensé à tous les jeux que je pourrais inventer là-dedans.

J'ai commencé par la faire tourner à toute vitesse, puis une dame est arrivée avec un petit chien. Alors, j'ai essayé de remplacer Gilbert avec la politesse et la prévenance, comme m'avait dit papa. J'ai laissé entrer la dame dans l'un des compartiments et j'ai mis le petit chien dans un autre. Puis, j'ai donné un petite poussée... pas une grosse. C'est le chien, sûrement, qui n'avait pas l'habitude. En tout cas, les cris et les jappements se sont élevés, et, en plus, la porte ne voulait pas s'arrêter de tourner. Alors au diable la prévenance, je suis allée retrouver Adrien.

Il avait une mine des mauvais jours. Il m'a dit, d'une voix triste :

— Gilbert est parti, Mélanie. Remplacé... par une porte... automatique.

Moi, qui étais si contente, je ne comprenais pas pourquoi Adrien avait l'air si abattu. Finalement, j'ai pensé : « Il a perdu son partenaire pour jouer aux dames. » Mais au lieu de me faire de la peine, ça m'a fait plaisir parce que maintenant je suis sûre qu'il va m'apprendre à jouer. C'est certain.

Le mercredi, Adrien nettoie et polit les portes de cuivre de l'ascenseur. On était mercredi, alors j'ai aidé Adrien. D'abord, il faut mettre un produit rose qui pue. On frotte un peu et ça décape la saleté. Après, on polit avec de grands chiffons doux. Si vous voyiez comme ça brille! Extraordinaire.

Après ça, j'aurais bien aimé commencer mes leçons de dames mais Adrien ne se remettait pas de l'absence de Gilbert. Il soupirait tout le temps. J'ai préféré ne pas insister.

Alors, on est allé, ensemble, faire une tournée interne pour savoir ce qui se passait dans l'hôtel. Arrivée à la cuisine, j'ai commencé, moi aussi, à me poser des questions. Plus de marmitons ni de fourneaux. On a trouvé Raoul les moustaches pendantes, qui mettait à l'épreuve un four à micro-ondes. Il a essayé de nous en expliquer le fonctionnement mais je n'écoutais pas, parce que moi, les petits plats mijotés, ce n'est pas mon rayon. On est reparti en ascenseur. Adrien avait la mine encore

plus triste. Après avoir fait monter et descendre tous les membres d'un orchestre
avec leurs instruments, j'ai proposé:

— Allons voir Mathilde.

Mathilde vend des mouchoirs de papier,
des journaux et des bonbons dans un
minuscule magasin près du bar. Eh bien, à
la place du minuscule magasin, on a
trouvé une rangée de distributrices auto-

matiques! J'adore ces engins-là. Les gens y laissent parfois des pièces de monnaie, c'est bien commode. J'ai appuyé sur tous les boutons et inspecté toutes les cases de renvoi. Il n'y avait pas le moindre sou. Quand j'ai eu fini, j'ai vu qu'Adrien était reparti sans moi.

En quittant l'Étoile, le soir avec papa, j'ai caché ma surprise dans la poche de ma salopette. C'est un échantillon du produit à astiquer le cuivre qu'Adrien m'a donné. Comme mes parents aiment bien les chaussures qui brillent, demain matin, avant leur réveil, je vais mettre de ce produit sur toutes leurs bottes et leurs chaussures. Quelle belle surprise je vais leur faire!

Quand l'hôtel se transforme

Les vacances achèvent. Pauvre papa. Il n'en a pas eu, lui, de vacances. Parce que l'hôtel a changé de propriétaire. Le nouveau s'appelle Monsieur Surprenant et il paraît qu'il a décidé de faire plein de transformations. Il a fait installer un ordinateur sur le comptoir derrière lequel papa passe ses journées. Papa est très excité : il pitonne sans arrêt. Maman, qui vient juste de passer son examen super-calé en gestion des entreprises, est aussi excitée que lui. Le soir, au repas, ils ne cessent de parler d'informatiser des services et aussi de rentabilité. Ça doit avoir un rapport avec Monsieur Surprenant.

Lors de ma dernière journée de congé,

j'ai décidé d'aller faire un tour à l'Étoile. Comme ça, pour rien. J'en ai assez du terrain de jeux où on joue toujours à la même chose, et puis il faut que je réfléchisse à mon projet de récupération. Ange-Aimé n'a rien trouvé. Et l'école recommence demain. Peut-être qu'Antoinette, Alexandre ou Adrien auront des bonnes idées.

J'ai pris l'autobus pour le centre-ville. En arrivant à l'hôtel, j'ai vu des ouvriers qui sortaient avec des planches et des rouleaux de tapis. J'ai poussé la «porte-tourbillon» (j'ai fait trois tours complets) et, tout de suite, j'ai remarqué les nouveaux fauteuils et les tables transparentes. Les miroirs et les bouquets étaient partis comme le lustre à douze branches que j'avais si joliment décoré une fois. Comme papa l'avait annoncé, ça sentait la transformation.

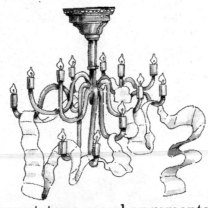

En voyant tous ces changements, j'ai essayé de trouver un lien avec notre projet d'école, mais mon estomac s'est mis à faire un drôle de bruit et je me suis rappelé que je n'avais pas déjeuné. Je me suis dit que le restaurant devait être presque vide à cette heure-ci et qu'Alexandre me donnerait peut-être, comme il l'avait déjà fait, un ou deux croissants qui restaient. J'ai filé vers le fond du couloir sans me faire voir de papa qui pitonnait sur son ordinateur, ni d'Adrien, car les portes de l'ascenseur étaient fermées.

Je suis vite rentrée au restaurant et là, j'ai eu une grosse surprise. Les tentures et le mobilier avaient disparu pour faire place à des tables et à des chaises roses qui ressemblaient à celles du salon de coiffure de maman. À la place des soupières en argent et des assiettes super-cassantes, on voyait des piles de plateaux rouges et des colonnes de verres empilés les uns sur les autres. Derrière un comptoir chromé, Raoul distribuait des tranches de bacon avec des pincettes. C'est commode, une cafétéria, on choisit seulement ce que l'on aime ! Alexandre n'était plus là. Alors, dans mon plateau rouge, j'ai mis trois tranches de bacon, un paquet de biscuits soda, deux sachets de moutarde et un grand verre de jus de raisin. Ça, c'est un vrai déjeuner !

Après, j'ai fait la tournée des distributrices automatiques. J'ai trouvé deux 25 cents. Quelle chance! J'étais vraiment très, TRÈS contente. C'est à ce moment que, revenant vers l'entrée, j'ai aperçu Adrien. Il était rouge comme une tomate; il gesticulait et discutait avec un monsieur à lunettes. J'ai su, après, que c'était le nouveau propriétaire: Prosper Surprenant.

Je ne comprenais pas pourquoi Adrien était si énervé: son ascenseur était toujours là, brillant de toutes ses portes comme d'habitude. Mais soudain, les fameuses portes se sont ouvertes toutes seules et trois filles sont sorties en rigolant. En un éclair, j'ai vu l'intérieur de l'ascenseur entièrement recouvert de tapis velours. Il n'y avait plus le siège pliant, ni la table escamotable pour les dames, ni le tiroir secret, ni, bien sûr, le levier de commande. Il n'y avait que du tapis et un panneau couvert de boutons qui s'allumaient.

Quand l'ascenseur
marche tout seul

Sans dire un mot, je suis entrée dans l'ascenseur. Quelle affaire! J'allais enfin pouvoir me promener toute seule. Après une montée-descente en solo, j'ai repensé à Adrien. Vite, j'ai appuyé sur le bouton R-C, pour rez-de-chaussée.

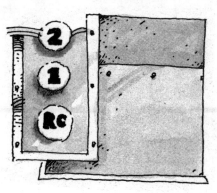

Au moment où les portes se sont ouvertes, j'ai entendu la grosse voix de Monsieur Surprenant dire :

— Demain, on enlève les portes. Les nouvelles, en aluminium, n'auront jamais besoin d'être polies. C'est un progrès fantas-ti-que, n'est-ce pas, Adrien ?

Devant mes yeux étonnées s'est déroulée une scène incroyable. Adrien si vieux, si petit, si doux, a piqué une violente colère. Le torse bombé, les poings serrés, il s'est planté devant Monsieur Surprenant. Ses yeux lançaient des éclairs. On

aurait dit Jupiter le Dieu-Tonnerre des livres d'images. Il a crié tellement fort que tout le monde dans l'hôtel a entendu.

— Les portes, après quarante-deux années de service, j'y ai droit. Je les ré-cu-pè-re demain matin!

L'instant d'après, Adrien retirait lentement ses deux gants blancs qu'il déposa sur le comptoir. Puis, il tourna les talons, sans dire un autre mot.

Pas besoin de préciser que j'ai tout de suite suivi Adrien dehors. On s'est promené en silence dans le quartier. Le rouge du visage d'Adrien pâlissait petit à petit. Je n'osais pas dire un mot, mais je mijotais ses dernières paroles «Je les ré-cu-pè-re», avait-il lancé. C'était le même mot que mon projet d'école, alors j'étais sûre de pouvoir compter sur Adrien, une fois sa colère apaisée.

Après avoir fait trois fois le tour du quartier, Adrien a enfilé une petite ruelle derrière l'hôtel. Près de l'entrée de service, il y avait un tas de débris de construction. Adrien s'est mis à fouiller dedans, et, soudain, tout souriant, il en a retiré le levier de commande de l'ascenseur.

— Ah! Mélanie, je savais bien que je le retrouverais! a-t-il murmuré, les yeux pétillants.

— On pourrait peut-être regarder s'il y a le tiroir aux dames aussi, ai-je dit.

Adrien m'a jeté un regard triomphant de secrète complicité. En quelques minutes, on avait retrouvé non seulement le tiroir mais le tabouret escamotable et l'indicateur d'étages. Encore une fois, j'ai pensé à notre projet d'école. J'ai demandé à Adrien:

— Est-ce que c'est ça, de la récupération?

— Oui, je pense bien que c'en est, et ce n'est pas fini!

En deux mots, je lui ai raconté ce que Ange-Aimé et moi devions proposer pour la classe. Il fallait avoir choisi le sujet pour DEMAIN!

Où l'on s'occupe de
récupération

— Qu'est-ce que tu vas faire avec toutes ces affaires? ai-je demandé à Adrien.

— Je ne sais pas encore. Tiens, aide-moi à porter ça.

Et, boum! le tiroir et la table pliante me sont tombés sur les bras. Mais je n'y arrivais pas. Vite, j'ai tout lâché et j'ai couru jusqu'au coin de la ruelle en criant:

— Attends deux minutes, je vais chercher de l'aide!

En passant, j'avais vu une boîte téléphonique. Avec l'une des pièces que j'avais trouvées, j'ai téléphoné à Ange-Aimé.

— Ange-Aimé, je pense que j'ai enfin trouvé un sujet pour notre travail. Un bon! Viens vite me rejoindre. On a besoin de toi, pour transporter des affaires.

Ange-Aimé est arrivé en vitesse et, tous les deux, on a aidé Adrien à transporter chez lui les objets recueillis dans les poubelles de l'hôtel. Puis, on lui a fait

part de ce qu'on avait découvert dans les encyclopédies, l'autre jour, à la bibliothèque. Adrien a dit:

— Essayez de penser à quelque chose. Moi aussi, de mon côté, je vais réfléchir.

Ça me faisait un peu de peine de quitter Adrien; je me demandais comment il allait survivre s'il lui fallait renoncer à monter et à descendre pour le reste de ses jours.

Ange-Aimé et moi, on s'est entendu pour inventer un titre à notre projet. On a décidé de rester vague pour ne pas révéler qu'on n'était pas encore tout à fait décidés. Heureusement, le lendemain à l'école, on est passé en dernier et la cloche a sonné avant qu'on doive donner trop d'explications. On a simplement annoncé: « Récupération et recyclage de divers matériaux de construction ». Ouf! On l'a échappé belle.

Tout de suite après l'école, on a couru au rendez-vous fixé par Adrien. En arrivant près du parc, on a vu une vieille camionnette stationnée. Dedans, les lourdes portes de cuivre brillaient au soleil. Il y avait deux personnes à l'intérieur de la camionnette. Je n'ai pas tout de suite reconnu celui qui tenait le volant. C'était Gilbert. C'est vrai qu'il était bien différent sans son costume à galons dorés. J'ai été étonnée de voir qu'Adrien n'avait pas l'air trop triste: bien au contraire, il avait l'air plutôt content et très excité.

Ange-Aimé et moi, on a sauté dans la camionnette et Gilbert nous a conduit tous les quatre jusqu'au bord de la falaise, là où commence le chemin escarpé. On s'est arrêté et on est descendu. Le vent fouettait nos visages. On était pas trop rassuré en regardant en bas, à cause de la pente très, très abrupte. Ange-Aimé m'a chuchoté : « Qu'est-ce qu'on fait ? ». La réponse n'a pas tardé. Gilbert a dit :

— Entre la falaise et le rivage, il faudrait un système rapide...

— ... pour monter et descendre, a enchaîné Adrien.

Ange-Aimé et moi, on s'est regardé. Puis, sans se concerter le moins du monde, tous les quatre, on a dit d'une seule voix :

— UN ASCENSEUR !

Adrien et Gilbert ont sorti des petits carnets noirs de leurs poches, puis un pied-de-roi et ils ont commencé à prendre des mesures. Adrien s'est mis à faire des calculs et à inscrire des chiffres dans son petit carnet noir. Ange-Aimé et moi, on a saisi d'un seul coup l'ampleur de « notre » projet.

Où l'on rencontre
Diva Desrosiers

Soudain, des coups de klaxon répétés se sont mis à retentir. Il faut dire que la camionnette bloquait le chemin. Mais Adrien et Gilbert étaient bien trop absorbés dans leurs calculs pour y prêter attention. Des portières ont claqué. Des tas de gens sont sortis des voitures en vociférant. Ils tenaient des caméras, des fils, des lumières. Avec eux, il y avait une drôle de dame, habillée comme pour une mascarade. Tous ces gens se sont approchés de nous et se sont mis à nous engueuler. Mais la dame a crié :

— Adrien ! C'est vous ! Je ne vous ai pas vu ce matin, à l'Étoile !

Adrien a vivement salué la dame déguisée tandis que Ange-Aimé me glissait à l'oreille :

— C'est Diva Desrosiers, la vedette de cinéma.

Je l'ai alors reconnue ; je l'avais vue à la télé. Elle était là pour tourner un film publicitaire vantant les mérites de la crème adoucissante Peau d'Ange. Des cameramen, des scriptes, des techniciens et techniciennes de la télévision allaient et venaient sans cesse autour d'elle.

— Si je ne suis pas à l'Étoile, chère Madame, a commencé Adrien...

— Bien sûr, bien sûr ! Je me souviens maintenant, on a modernisé l'hôtel, s'est écriée Diva Desrosiers. Pauvre ami ! le progrès...

Puis, Adrien s'est éloigné un peu pour donner une chance à l'équipe de préparer le tournage. Tout le monde s'est installé. Diva s'est postée au bord de la falaise, cheveux au vent. Puis elle a commencé à se mettre de la crème sur les mains et à les frotter ensemble pendant qu'on filmait. Un goéland qui tournoyait autour a laissé tomber un tas juste sur sa main et la vedette a continué d'étaler la crème sur

ses mains et ses bras. Nous, on pouffait de rire mais tout le monde était trop occupé pour distinguer ce qui était de la crème et ce qui n'en était pas.

Une fois, les prises de vue terminées, Adrien a montré à Madame Desrosiers les portes dans la camionnette et a dévoilé son projet. Elle a paru enchantée de cette belle initiative, tellement qu'elle a décidé de créer, sur-le-champ, un comité de soutien. Elle a proposé de recueillir de l'argent pour pouvoir mettre le projet à exécution. En un tournemain, elle a convaincu les techniciens, les perchistes, les cameramen, les scriptes à contribuer à notre fonds de soutien. En un temps record, on s'est retrouvé avec des chèques totalisant 5 000 dollars, plus la promesse que toutes les autres vedettes de la télévision allaient nous appuyer.

Pour finir, les caméramen nous ont filmés tous ensemble autour de la camionnette verte avec les portes dedans et Diva Desrosiers au milieu, les mains toujours couvertes de la merveilleuse crème Peau d'Ange et Crotte de Goéland.

Où s'achève la
construction

Le chantier a commencé à prendre forme le lendemain matin. Notre chance, c'est qu'à l'école, on a eu deux journées pédagogiques de suite, ce qui nous a permis de participer aux travaux presque toute la semaine.

Papa était soulagé de ne pas être obligé de m'emmener à l'hôtel, car maman écrivait son mémoire sur la gestion des entreprises et l'hôtel était plein d'ouvriers.

Petit à petit, les citoyens de la ville se sont déplacés pour venir voir ce qui se passait sur la falaise et sur le rivage en bas. La nouvelle s'était répandue qu'il y avait une construction en cours. On posait des rails, des câbles d'acier; toutes sortes de gens s'affairaient à ériger des plates-formes et à fabriquer des coffrages pour le ciment. Ange-Aimé et moi accomplissions toutes sortes de tâches: clouer, dévisser, visser, aller chercher de l'eau, des cailloux, préparer des casse-croûte. Ange-Aimé a eu la géniale idée de prendre des photos de toutes les étapes de l'installation, grâce à l'appareil-photo qu'il a acheté pour 1,00$ dans une vente de garage.

Adrien et Gilbert couraient partout et donnaient des ordres. Le plus drôle, c'est que j'ai vu réapparaître Alexandre, l'ex-maître d'hôtel, Mathilde et les deux marmitons. Bien des anciens de l'hôtel venaient en curieux et, comme ils étaient au chômage, ils restaient pour prêter main-forte.

À la fin de la semaine, quand tout fut prêt, on installa les portes de cuivre et Adrien débuta son ascension inaugurale. Tous, sur le chantier, retenaient leur souffle. Ce fut un succès. L'ascenseur fonctionnait à merveille. Quand Adrien redescendit, on lui fit un accueil triomphal.

J'ai sorti les feuilles sur lesquelles

j'avais noté les phases de construction et je me suis approchée d'Adrien :

— Est-ce que j'écris : FIN ?

— Jamais de la vie, Mélanie, s'écria Adrien. Tu mets : INAUGURATION et tu gardes de la place...

J'ai eu juste le temps de mettre les papiers dans ma poche qu'il a commencé à pleuvoir. On a vu arriver, à la queue leu leu, les enfants du terrain de jeux qui revenaient d'excursion. Ils avaient l'air crevés. Leurs sacs à dos pendaient sur leurs épaules. La pluie redoublait. Il leur fallait grimper la falaise sous la pluie, les pauvres !

— Ohé ! les enfants ! a crié Gilbert. Venez par ici.

Aussitôt, Adrien a ouvert les portes et le groupe s'est engouffré dans l'ascenseur, y compris le moniteur. Adrien a transporté toute la bande ruisselante jusqu'à la ville haute. Les rescapés de la pluie ont été les premiers témoins de la réussite de cette opération de récupération-recyclage.

Par les deux fenêtres percées dans la cage de l'ascenseur, on pouvait admirer le paysage et, à l'intérieur, on retrouvait le tiroir secret, la table escamotable, le levier de commande et l'indicateur d'étages au fonctionnement modifié. Arrivé à la plate-forme Adrien prononça d'une voix forte :

— Terminus ! Tout le monde descend.

Les petits sportifs et leur moniteur étaient enchantés. Justement, parmi eux, il y avait Jérôme ; son père travaille au journal. Il a dû lui raconter sa remontée vers la ville car, peu de temps après, les journalistes et les photographes sont arrivés. Adrien les a conviés à l'inauguration fixée pour dimanche.

Sans exagérer, ç'a été la fête la plus réussie de toute l'année. Toute la ville est venue. Une foule de journalistes couraient après le ministre Roquelune, le maire, Diva Desrosiers et sa suite. Il y avait aussi le moniteur et les copains du terrain de jeux et la directrice de l'école.

Gilbert avait mis son beau costume avec les épaulettes dorées. Adrien, avec ses gants blancs immaculés, avait retrouvé son air calme des jours heureux. Il y a eu des discours, des jeux, des jus, des gâteaux et de la musique. L'écrivain, Jasmin Poirot, a improvisé un long poème

en hommage à l'imagination. Il sera
publié dans le journal, demain, a dit le
père de Jérôme.

Ce qui m'a fait le plus plaisir, c'est que
maman est venue assister à l'inauguration. Elle a abandonné, pour quelques
heures, la rédaction de son mémoire.
Ange-Aimé et moi, on lui a tout expliqué.
Mais papa n'a pas pu venir : il devait sur-
veiller l'installation de nouveaux appa-
reils, à l'hôtel.

Adrien a fait faire plusieurs voyages à
maman dans l'ascenseur : elle posait
beaucoup de questions et avait l'air très
intéressé.

Où l'on présente notre projet de recyclage

Le soir, après la fête, Ange-Aimé et moi avons préparé notre exposé et monté nos photos sur deux grands panneaux.

À l'école, même si tout le monde était déjà un peu au courant à cause du reportage du journal, nous avons été très applaudis. La plus grosse surprise, ç'a été quand j'ai annoncé à la classe :

— Maintenant, je vous présente nos deux personnes-ressources qui répondront à toutes vos questions.

Ange-Aimé est sorti précipitamment et il est revenu avec Adrien et Gilbert qui attendaient dans le gymnase. Ç'a été formidable, parce qu'ils ont répondu à toutes les questions à notre place.

Maintenant, pour descendre à la mer, il suffit d'un petit voyage en ascenseur de quatre minutes qui coûte 25 cents. Pas cher. Il faut dire qu'en peu de temps, l'ascenseur grimpe-falaise est devenu la grande attraction touristique de la région. Sur la plage, les bicoques se sont transformées en restaurants. Des foules de gens se pressent pour descendre ou monter, surtout le samedi et le dimanche.

Mathilde est préposée à la vente des billets et Antoinette, eh! oui, Antoinette, qui a aussi été remplacée à l'hôtel par une série de lessiveuses et de sécheuses, s'occupe de l'entretien. Alexandre est responsable des activités.

Le plus merveilleux dans tout ça, c'est que l'ascenseur est devenu le point de ralliement de tous les galopins de la ville. Sa large plate-forme sert de point de départ pour toutes les excursions à pied, à vélo, à skis. Il est le lieu privilégié d'où démarrent les concours de cerfs-volants, les courses, les pique-niques. Le service des Loisirs de la ville, voyant ses terrains de jeux délaissés, a vite fait d'acheter le terrain voisin de l'ascenseur pour y reloger

toutes ses installations. Ainsi, l'ascenseur est vraiment le quartier général de tout ce que la ville compte de sages et de coquins de moins de douze ans.

À chaque fête, à chaque congé, les enfants le décorent, le garnissent de rubans et de ballons. Avec ses belles portes en cuivre bien astiquées, il est en train d'acquérir la renommée du monument le plus populaire de la ville.

Je pense qu'il est presque inutile de préciser qu'en un rien de temps, Adrien et Gilbert, se sont retrouvés à la tête d'une véritable entreprise. Et qui, devinez qui est chargée de la gestion de cette florissante affaire? Quelqu'un qui est fier de siéger au Conseil d'administration de la Société de Transport de l'Étoile, Inc. C'est maman! Elle a finalement recommencé son mémoire au complet et elle a choisi comme sujet: **La petite entreprise, expérience de nouvelle gestion du Transport de l'Étoile, Inc.** Moi et Ange-Aimé, on lui a prêté toutes nos photos. Quand on pense que notre devoir va se rendre jusqu'à l'Université!

Où l'on boit du
champagne

À l'hôtel, pendant ce temps-là, les travaux s'achevaient. Le jour où j'y ai remis
les pieds, avec Maman, j'ai eu du mal à
m'y reconnaître. Tout est changé. Le long
des couloirs s'alignent toutes sortes de
machines épatantes. Des engins qui cra-
chent des glaçons, des machines à cirer
les chaussures, des boîtes rugissantes qui
distribuent des journaux, des bonbons,
des cigarettes et des timbres. Il y a aussi
des fauteuils-masseurs, des bains de
pieds chauffants, des réfrigérateurs en-
castrés et des télés couleur dans chaque
chambre, des téléphones écrans avec commande à distance et un circuit d'air pulsé
qui répand des parfums divers : à la rose,
au jasmin ou à la soupe au chou.

Ce jour-là, l'hôtel était bondé. Des journalistes et des photographes et des invités. C'était pour célébrer la fin des travaux. On fit encore des discours et l'écrivain Jasmin Poirot improvisa cette fois, un poème en hommage à la modernité. Mais, la fête était moins amusante que l'autre. Monsieur Surprenant, rouge de plaisir, offrait du champagne à tous. Moi, je n'aime pas. Sans me faire remarquer, j'ai conduit l'ascenseur jusqu'au sixième et là, j'ai versé le contenu de ma coupe — et ma coupe avec — dans la chute pour le courrier.

En changeant d'allure, l'hôtel a aussi changé de nom. Il s'appelle maintenant LE STAR. Sa façade est pareille à celle des autres immeubles qui l'entourent. Papa m'a fait visiter son nouveau bureau. Il m'a longuement expliqué que tous les services sont dorénavant informatisés. Papa est devenu un as du micro-ordinateur.

En faisant une courte inspection, j'ai constaté qu'il ne restait plus une seule trace de ce qu'avait été le vieil hôtel de l'Étoile. Au lieu des chuchotements et des rumeurs, on n'entend plus que des bruits

de boutons que l'on presse, de pièces de monnaie dégringolant dans des estomacs métalliques, des sonneries et des minuteries savamment programmées. C'est superefficace, a dit Papa.

— Et rentable, a ajouté Monsieur Surprenant en souriant.

Où l'on fonde
« Les Mélanges »

Pour ce qui est de la *complète* transformation de l'hôtel, je me suis rendu compte, la semaine suivante, que je m'étais drôlement trompée. Un jour, après l'école, Ange-Aimé et moi avons été convoqués par Adrien qui nous a annoncé :

— Vous faites maintenant partie du Conseil d'administration de l'Étoile, en tant que représentants des enfants. On aura besoin de vos idées et de vos avis.

La première réunion du conseil, c'était hier. J'avais peur que mes parents refusent de me laisser y aller car c'était le soir, mais puisque maman y allait aussi, on est partis ensemble.

On s'est retrouvé au Star — oui, au STAR — dans une pièce que je n'avais jamais vue où s'entassait une partie du vieux mobilier. Je n'en revenais pas. On aurait dit qu'on était retourné en arrière, à l'époque d'avant la modernisation. Ça m'a rappelé quelques souvenirs : des bons et des affreux comme la fois où... Mais ce n'est pas le moment de vous raconter ma vie ! Enfin, j'ai choisi un des grands fauteuils roses que j'aimais tant pour m'asseoir sous le lustre à douze branches. Après les discussions, pendant lesquelles j'ai dormi un peu, on a vu arriver Raoul, le cuisinier. Il nous apportait un délicieux pâté qu'il avait cuisiné dans son four à micro-ondes. Roger est venu nous porter à boire et papa est venu nous saluer.

Adrien avait une mine radieuse au bout de la table. Il avait retrouvé sa «famille» au complet. Mais il est devenu encore plus souriant quand Gilbert a fait sa proposition : le championnat national de dames pourrait avoir lieu chaque printemps dans l'ascenseur, sur la table pliante que les antiquaires ne cessent de reluquer. Le

Conseil a donné son accord unanime. Et en plus, la finale sera télévisée en direct.

Maintenant qu'on a l'habitude, Ange-Aimé et moi avons décidé de ne pas nous arrêter là. On a formé un groupe qui s'appelle : Les Mélanges, à cause de *Mél*anie et *Ange*-Aimé. On va s'occuper de récupération et de recyclage toute l'année.

Adrien nous a permis de mettre un panneau-réclame dans l'ascenseur pour avertir tous les jeunes du rendez-vous de samedi.

AVIS À TOUS LES JEUNES

LES MÉLANGES

GROUPE D'ACTION COMMUNAUTAIRE DE RÉCUPÉRATION ET DE RECYCLAGE SE RÉUNIT SAMEDI, À 10 HEURES

À L'ASCENSEUR ÉTOILE, NIVEAU MER

apporter tout ce qui ne sert plus chez vous:

FER À REPASSER

MOTEURS

ROUES DE BICYCLETTE

OUTILS

RÉVEILS

SÉCHOIRS À CHEVEUX

ETC.

avertir tous les jeunes du rendez-vous de samedi.

Ange-Aimé et moi, on se charge de faire les poubelles. Ensuite, on verra bien ce qu'on pourra tirer de notre cueillette.

Ce ne sera pas difficile! Ce qui nous plairait le plus, ce serait de trouver assez de roues de bicyclettes pour nous fabriquer un vélo à six places. Avec ça, on pourrait en faire de belles excursions! On inviterait le grand Gilles, celui qui veut être coureur cycliste et qui s'entraîne sans arrêt. On lui donnerait la première place en avant, et on le laisserait filer... pas bête, hein ?

Table des matières

1. Quand Mélanie passe la journée
   à l'hôtel 7

2. Quand Mélanie rencontre Raoul
   et Antoinette 11

3. Où l'on joue aux dames........................16

4. Quand Adrien prend congé 21

5. Quand la porte tourne, tourne,
   tourne..24

6. Quand l'hôtel se transforme 30

7. Quand l'ascenseur marche tout seul ..35

8. Où l'on s'occupe de récupération 39

9. Où l'on rencontre Diva Desrosiers 44

10. Où s'achève la construction 48

11. Où l'on présente notre projet
    de recyclage 53

12. Où l'on boit du champagne.................57

13. Où l'on fonde «Les Mélanges»...........60

Un mot sur l'illustrateur

Philippe Germain a illustré des manuels scolaires et conçu des affiches pour le théâtre. Son crayon se déchaîne quand il s'agit de dépister les aspects farfelus et drôles de la vie quotidienne. Passionné de voitures sport, de vieux «juke-boxes» et de planche à voile, il aime l'action et le mouvement. Son rêve: achever une histoire en bande dessinée dont le personnage principal court après le temps.

collection libellule

À partir de 7 ans...

La collection Libellule te propose des petits romans palpitants écrits par des auteurs qui connaissent bien les jeunes. On y trouve des personnages attachants qui évoluent dans des situations où l'humour et la joie de vivre sont toujours présents.

Les petites feuilles placées devant chaque titre indiquent le degré de difficulté du livre.

✿ lecture facile
✿✿ lecture moins facile

Bonne lecture !

Cécile Gagnon

Cécile Gagnon

collection libellule

À partir de 7 ans
As-tu lu les livres de la collection Libellule ? Ce sont des petits romans palpitants. Ils sont SUPER ! Si tu veux bien t'amuser en lisant, choisis parmi ces titres.

Les oreilles en fleur
Lucie Cusson

Pour échapper à ses problèmes, Simone s'enfuit dans la nuit avec une amie très « spéciale ».

La pendule qui retardait
Marie-Andrée et Daniel Mativat

Qu'arrivera-t-il à cette pendule qui retarde d'une minute quand elle apprendra que le sort du monde est lié à chacun de ses tics et de ses tacs ?

Les sandales d'Ali-Boulouf
Susanne Julien

Ali-Boulouf porte des sandales qui le mettent dans un drôle de pétrin. Moulik, gamin plein d'astuce et de débrouillardise sauvera-t-il son oncle de la prison ?

Le lutin du téléphone
Marie-Andrée et Daniel Mativat

Viremaboul est un maître en farces et attrapes. Dans son logis, au creux d'un sapin, il mène une existence agréable jusqu'au jour où…

collection libellule

Le bulldozer amoureux
Marie-Andrée Boucher Mativat

Cinq tonnes de muscles d'acier, la force de soixante chevaux, rien ne résiste à Brutus. Pourtant, un soir d'été…

Nu comme un ver
Daniel Wood

Simon découvre que la marée a emporté ses vêtements. Comment va-t-il parvenir à rentrer tout nu chez lui à l'autre bout de la ville ?

L'ascenseur d'Adrien
Cécile Gagnon

L'opérateur de l'ascenseur et le portier d'un vieil hôtel sont mis à la porte. Mélanie et Ange-Aimé vont former avec eux la plus sympathique des entreprises de recyclage.

La sorcière qui avait peur
Alice Low

Ida, la petite sorcière, est désespérée : elle ne réussit pas à faire peur. Heureusement, un gentil fantôme vient à sa rescousse.

Barbotte et Léopold
Pierre Roy

Un petit garçon plein d'affection pour son grand-père nous offre un coup d'oeil décapant sur l'univers des personnes âgées et malades.

collection libellule

Moi, j'ai rendez-vous avec Daphné
Cécile Gagnon

Voici la courte biographie d'un chat ordinaire. Il partage le logis de Noémie qui lutte avec détermination pour devenir écrivaine.

Un fantôme à bicyclette
Gilles Gagnon

Jasmine est propriétaire d'une bicyclette. Avec son ami Tom-Tom elle tente de déjouer les mystifications de l'étrange « fantômus bicyclettus ».

GroZoeil mène la danse
Cécile Gagnon

Un épisode de la vie mouvementée des chats danseurs : Daphné et GroZoeil. Cette fois, ils deviennent les vedettes d'une campagne de publicité.

Moulik et le voilier des sables
Susanne Julien

Moulik et ses amis construisent un drôle de voilier. Comment se terminera leur voyage dans le désert et leur visite d'une oasis ?

Kakiwahou
A. P. Campbell

Voici l'histoire d'un petit Amérindien qui vit sur les bords de la Miramichi. Il ressemble à tous les autres sauf… pour sa façon de marcher.

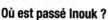
collection libellule

La course au bout de la terre
Louise-Michelle Sauriol

En Alaska, c'est la grande course de chiens de traîneau. Près de 2 000 km à franchir. Yaani se lance à l'aventure avec ses huit chiens esquimaux. Quel défi !

Où est passé Inouk ?
Marie-Andrée Boucher Mativat

François et Sophie partent à la pêche sur la glace. Mais ils n'y vont pas seuls. Ils décident d'emmener leur chien, Inouk. Est-ce vraiment une bonne idée ?

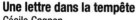

Une lettre dans la tempête
Cécile Gagnon

En plein hiver, à Havre Aubert, aux Îles-de-la-Madeleine, le câble télégraphique qui relie les îles au continent se casse. Comment faire parvenir un message important quand on est coupé de tout ?

Mademoiselle Zoé
Marie-Andrée et Daniel Mativat

Une maladresse de son maître, l'émir Rachid Aboul Amitt, force Zoé à quitter son pays, le Rutabaga, pour aller vivre en Fanfaronie. S'adaptera-t-elle à sa nouvelle existence ?

Un chameau pour maman
Lucie Bergeron

Pourquoi Nicolas a-t-il tant besoin d'un chameau pour sa mère ? Est-ce pour son cadeau d'anniversaire ? Ou parce qu'elle prépare une étude sur les animaux d'Afrique ? Et si c'était pour une autre raison…

collection libellule

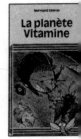

La planète Vitamine
Normand Gélinas

Fiou et Pok, les aides du professeur Minus débarquent sur la planète Vitamine. Un intrus a convaincu les tomates de recevoir un traitement aux engrais chimiques.

La grande catastrophe
Lucie Bergeron

La radio annonce que le réchauffement de la planète va atteindre son maximum. Comment Samuel et Étienne vont-ils empêcher leur fort de neige de se transformer en flaque d'eau ?

Une peur bleue
Marie-Andrée Boucher Mativat

Une grande chambre, un mobilier tout neuf, voilà des propositions emballantes. Pourtant, Julie a de bonnes raisons d'avoir peur d'aller coucher au sous-sol.

La sirène des mers de glace
Louise-Michelle Sauriol

Soudain la banquise craque. Yaani est emporté à la dérive. Il tombe au fond de l'océan. Son étoile magique, devenue étoile de mer, l'entraîne dans une aventure fantastique.

collection libellule

Dans la même collection

- Quand les fées font la grève
- La pendule qui retardait
- Le lutin du téléphone
- Le bulldozer amoureux
- Nu comme un ver
- La sorcière qui avait peur
- Kakiwahou
- Où est passé Inouk?
- Un chameau pour maman
- La grande catastrophe
- Les sandales d'Ali-Boulouf
- L'ascenseur d'Adrien
- Colin et l'ordinateur
- Moi, j'ai rendez-vous avec Daphné
- Un fantôme à bicyclette
- GroZoeil mène la danse
- Moulik et le voilier des sables
- La course au bout de la terre
- Une lettre dans la tempête
- Mademoiselle Zoé
- La planète Vitamine
- La sirène des mers de glace
- Une peur bleue
- Les oreilles en fleur
- Barbotte et Léopold

ACHEVÉ   D'IMPRIMER
EN   NOVEMBRE   **1993**
SUR LES PRESSES DE
PAYETTE & SIMMS INC.
À SAINT-LAMBERT, P.Q.